D1576600

Lc

MOJA BLISKOŚĆ NAJWIĘKSZA

JANUSZ L. WIŚNIEWSKI

MOJA BLISKOŚĆ NAJWIĘKSZA

Wydawnictwo Literackie

Sceny z życia małżeńskiego

„Nieodwzajemniana miłość jest straszną udręką, proszę pana. Szczególnie ta miłość, która kiedyś była sensem życia, a teraz się wypaliła. Umarła. Bezpowrotnie. Czasami myślę, że jest udręką o wiele okropniejszą niż nienawiść. Gdy nienawidzimy, pragniemy tak naprawdę przecież tylko jednego: cierpienia znienawidzonej osoby. W każdej możliwej formie. Jej bólu, jej poniżenia, wszelkiego spadającego na nią nieszczęścia, choroby, a także — w skrajnym, obsesyjnym przypadku — nawet śmierci. Nienawiść i pragnienie zemsty są, proszę pana, bardzo proste do odczuwania. Takie do objęcia przez każdego, bo wszystko jest przecież jasne. Szczere, uczciwe i jednoznaczne. Jak plus i minus. Jak czerń i biel. Nienawidzić, proszę pana, jest łatwo. Ale będąc kochanym, trudno jest samemu przestać kochać. Po wszystkich tych obietnicach, które się złożyło.

Po tajemnicach, które i w dzień, i w nocy się dzieliło. Bardzo trudno, proszę pana..."

Siedzimy na ławce w parku i rozmawiamy. Kilkanaście kilometrów od centrum Kolonii. Tak „dla bezpieczeństwa lepiej tam, jak najdalej od jego rewirów, ponieważ ostatnio on jest nieprzewidywalny". Ten „on" to jej mąż, Robert. Poznała go kilkanaście lat temu. Studiowała wówczas w Tybindze, ale na weekendy wracała do rodziców w Kolonii. Którejś listopadowej soboty czekała w deszczu na taksówkę przed dworcem. Podszedł do niej ze swoim rozłożonym parasolem i dotknąwszy jej ramienia, powiedział: „Jest pani cała przemoknięta. Pozwoli mi pani tu ze sobą postać?". Pamięta, że od tamtej soboty zaczęła wracać do Kolonii najpierw także dla niego, a po dwóch miesiącach głównie dla niego. Pół roku później pierwszy raz powiedziała mu, że go kocha. Było to pewnego ranka, gdy leżała przytulona do niego i wsłuchiwała się w jego spokojny oddech.

„Gdy po naszym ślubie wracaliśmy do domu, byłam chyba najszczęśliwszą kobietą na ziemi. Zwariowałam na jego punkcie. Chciałam być dla niego najlepszą żoną. I chyba przez pewien czas byłam. Potem powoli stawaliśmy się rodziną. Urodziłam pierwszego syna, po kilku latach drugiego. Pracowałam, gotowałam, prasowałam, sprzątałam, matkowałam, doglądałam budowy i niekiedy sama budowałam nasz dom. Wieczorami siadałam z nim na kanapie i trzymałam go za rękę, a w nocy, w sypialni, gdy nie padałam ze zmęczenia, spełniałam w łóżku jego fantazje.

Nie pamiętam momentu, w którym zaczęłam odczuwać, że jestem zamykana w swego rodzaju klatce. To wpełzło niezauważone w nasze życie kilka lat temu. Każdy mój wyjazd, czy to służbowy, czy z koleżankami, był przez niego odbierany jak akt największej małżeńskiej nielojalności. Miałam po pracy wracać do domu i spędzać czas wyłącznie z nim i dziećmi. Kochałam go i jego żądania traktowałam jako dowód miłości. I godziłam się je spełniać dla spokoju. Rezygnowałam ze swoich pragnień z rozczarowaniem, ale ciągle jeszcze nie odczuwałam w sobie oznak buntu. To przyszło później.

Pamiętam, że pewnego razu pojechałam z przyjaciółką na koncert do filharmonii w Monachium. Wyłączyłam komórkę. Po koncercie zauważyłam, że dzwonił do mnie czterdzieści razy! Gdy w końcu odebrałam telefon, to dowiedziałam się, że jestem «nieodpowiedzialna, bezduszna, zostawiam dzieci i jego dla jakichś bezsensownych głupot i że mam z tym raz na zawsze skończyć». A potem poprosił, aby moja przyjaciółka potwierdziła, że faktycznie jest przy mnie, ponieważ on ma «swoje podejrzenia».

Pamiętam, że poczułam się tym absurdem poniżona. To wtedy chyba pierwszy raz poczułam w sobie bunt.

Do jego zaborczości dołączyła chorobliwa zazdrość. Zdarzało się, że rano kazał mi się przebierać, ponieważ mój strój jego zdaniem był «wyzywający i wulgarny jak u prostytutki wychodzącej do pracy». Każdy mężczyzna, który z jakichś powodów pojawiał się w moim życiu, był moim potencjalnym kochankiem. Czy był to kolega z pracy odprowadzający mnie do stacji metra, czy kelner, który pozwolił sobie niewinnie skomplementować mój wygląd. Po pewnym czasie zauważyłam, że kontroluje mój telefon komórkowy, przegląda torebkę, otwiera listy adresowane do mnie. Moje przyjaciółki traktował z wrogością, bo «powinny przecież zająć się swoimi mężami i dziećmi, a nie nachodzić normalne rodziny».

A my w tym czasie przestawaliśmy być normalną rodziną. Ja stawałam się powoli więźniarką. Próbowałam rozmawiać, bronić się, prosić, przekonywać. Kończyło się to za każdym razem awanturami. Coraz częściej widziałam łzy w oczach moich przerażonych synów. Któregoś dnia w trakcie jednej z takich awantur uderzył mnie. Przestawałam go kochać. Zaczynałam się go bać. Po dwóch latach, gdy zrozumiałam, że odczuwam wobec niego albo obojętność, albo strach, wyprowadziłam się z dziećmi do rodziców.

Przychodzi tam. Codziennie. Zgadzam się na to, bo chłopcy go kochają i potrzebują. Niekiedy rozmawiamy. Chce «wszystko naprawić i zacząć od początku». Powtarza mi nieustannie, że mnie kocha. I gdy jest taki dobry, taki jak kiedyś, i widzę łzy w jego proszących oczach, to jest mi wtedy bardzo źle. Bo przypominam sobie ten jego parasol, którym osłaniał mnie od deszczu, to moje zachłyśnięcie się szczęściem w dniu naszego ślubu, dotyk jego dłoni na moim brzuchu, gdy nosiłam w sobie nasze dzieci. Ale to są tylko wspomnienia. Zabił we mnie coś, co tak bardzo pielęgnowałam. Nie kocham go..."

Moja bliskość największa

Wszystko jest dobrze, Trosko Ty moja. Naprawdę dobrze. Wiem, że dzwoniłaś do mnie. Dwadzieścia sześć razy. Od wczorajszego południa do dzisiejszej północy. Osiemnaście razy nagrałaś mi się z opowieściami o Twoim niepokoju. Podejrzewam, że nagrałaś się dwadzieścia sześć razy, ale ja mam przestarzały telefon i po osiemnastym nagraniu przeładowałaś mi skrzynkę. Na amen. Zanim wrócę do sedna rzeczy, trochę się usprawiedliwię. Wcale nie wyjechałam bez pożegnania! Zapomniałaś po prostu. Albo tego nie zarejestrowałaś. Objęłam Cię na schodach, gdy schodziłyśmy do mojego samochodu, i wyszeptałam Ci do ucha, że pojadę nad morze, bo teraz bardzo tego potrzebuję. Ale Ty pewnie pomyślałaś, że w grudniu nad morze to jeżdżą tylko emeryci z astmą lub reumatyzmem i że trochę bredzę. Ale przytuliłaś się do mnie jeszcze mocniej.

Zawsze to robisz, gdy wydaje Ci się, że opowiadam głupoty. Chyba że na mnie wtedy krzyczysz. Ale tym razem to żadna głupota nie była. Ja od Ciebie pojechałam prosto nad morze. Kilkaset kilometrów jak krótka chwila. Do niego...

Nie znasz go. Ja też go jeszcze nie znam. Chociaż jestem z nim nad morzem już drugi raz w tym roku. Ale dopiero od godziny wiem, jak oddycha, gdy czyta mi na głos książkę, przytulony do mnie w łóżku. Wtedy świat dla niego nie istnieje. Oprócz świata z tej książki. I wiem, jak oddycha, gdy nagle odkłada tę książkę i całuje moje plecy i pośladki. Wtedy to wszechświat dla niego nie istnieje. I pyta przy tym — za każdym razem o kilkanaście sekund za późno — czy mu wolno. Od prawie roku pyta, czy mu wolno. I nie czekając na odpowiedź, i tak robi to, co chce. Nigdy nie zapomnę, gdy zapytał mnie pierwszy raz. O pozwolenie na wszystko. Wymieniał to „wszystko" wówczas po kolei. Niczym z jakiejś przepięknej listy grzechów. A ja się na wszystko zgodziłam. Głównie z powodu niecierpliwej ciekawości, co nastąpi dalej.

Wiem, że jesteś w tym momencie pełna podejrzeń. Nie mówiłam Ci o nim. Bo my o mężczyznach rozmawiamy tylko tak na marginesie. Ponieważ Ty wobec mężczyzn „węszących" za mną jesteś bardzo podejrzliwa. Z powodu Twojej Troski — przez duże T — aby mnie już więcej nie ranili. A gdy już o nich rozmawiamy, czuję się trochę jak na przesłuchaniu.

„Dlaczego go spotkałaś!?"

To on mnie spotkał. Zagubił się w podróży do „ważnego miejsca". Tak to nazwał. Wracałam z zakupów, gdy zatrzymał się obok mnie czarny samochód. Siedzący w nim mężczyzna zapytał, jak wydostać się z osiedla na autostradę. Wsunęłam głowę do jego auta i mu tłumaczyłam. Udawał, że słucha, chociaż tylko patrzył na mnie. Skłamał, że rozumie, i podziękował. Po kilku minutach ciągle pamiętałam jego oczy, a on błądził po osiedlu. I znowu trafił na mnie. Wyrwałam kartkę z notesu i narysowałam mu drogę. Wtedy spojrzał mi w oczy i zapytał, czy pojadę z nim do Wrocławia. Wydawało mi się, że mnie z kimś pomylił. Albo że jest bardzo arogancki.

Na odwrocie kartki, którą wyrwałam z notesu, przypadkiem był mój adres. W pierwszym e-mailu napisał mi, że na „odwrocie było najważniejsze". W trzech następnych ciągle byliśmy per pan i per pani, obnażając się powoli, zdradzając swoje tajemnice i pragnienia. W piątym nagle zapytał, czy może umyć moje włosy. A ja się zgodziłam. I wtedy pierwszy raz wirtualnie rozebrał mnie do naga i opowiedział o swoich planach w związku z różnymi częściami mojego ciała. I oboje poszliśmy do swoich łazienek pod swoje prysznice. Odległe od siebie o 892 kilometry. Następnego dnia rano w szóstym mailu napisał, że nie zdążył umyć mi włosów, i zapytał, czy słyszałam jego szepty i czy „także się dotykałam". Zawstydzona, skłamałam, że nie rozumiem, o co mu chodzi. Potem, czterysta osiemnaście wiadomości i osiem miesięcy, i dwadzieścia cztery dni później, to ja go spotkałam. W hotelowym pokoju, na czwartym piętrze, z widokiem na morze.

„Ale dlaczego właśnie on?"

Nudna jesteś, wiesz? Za każdym razem pytasz mnie o to samo. Tylko o jednego mężczyznę nie zapytałaś. O najważniejszego. Mojego męża. Musiałam być naprawdę zaborczo i niebezpiecznie zakochana, że nawet Ty ze strachu przed moją reakcją zamilkłaś. A może gdybyś wtedy zapytała, to dzisiaj wszystko byłoby inaczej i nie pojechałabym nigdy sama nad żadne morze? Ale do niego pojechałam. Jak niedotknięta jeszcze kochanka na narkotycznym głodzie.

Czekał na mnie.

Gdy weszłam do hotelowego holu, podał mi rękę i nic nie mówił. Tylko patrzył mi w oczy. I potem w pokoju także nic nie mówił. Posadził mnie na parapecie okna w łazience i ukląkł. I zanim ja zdążyłam mu coś bardzo ważnego powiedzieć, delikatnie wydobył ze mnie tampon. I wiesz, że wcale nie poczułam wstydu? A gdy pod prysznicem mył moje włosy, to pomyślałam, że znam go od zawsze. I potem w łóżku chciałam mu to wyszeptać do ucha, ale on wcale nie chciał słuchać. Dotykał ustami moje wargi mniejsze i większe, podczas gdy ja — w zupełnym zapomnieniu — nieświadomie raniłam go zębami. Do krwi. I w tej chwili jego ostatecznej, gdy ja, tak w nim rozsmakowana, poczułam, jak konwulsyjnie drży, to zrozumiałam nagle, czym jest największa bliskość. I rano mu o tym opowiedziałam. I teraz już chcę mu to zawsze opowiadać. Dlatego właśnie on. Rozumiesz?

Wiedzieć...

Dwa tygodnie temu Katarina obchodziła swoje trzydzieste piąte urodziny. Zarezerwowała salę w Gościńcu — bo tak swój pensjonat nazywają właściciele — niedaleko Kolonii. Uroczy wiejski dworek na wzgórzu, pośrodku ogromnych pól winogron, kończących się z jednej strony na urwisku, gdzie w dole płynie Ren. Na parterze restauracja, w mrocznej piwnicy korytarze z leżakującymi butelkami wina, na pierwszym piętrze kilka pokoi z łóżkami przykrytymi pierzynami w ręcznie haftowanych poszwach. Drewniane bele pod sufitami, stare wyblakłe fotografie na ścianach, emaliowane miednice i porcelanowe dzbany w łazienkach. Oczarowało ją to miejsce od pierwszej chwili. Poza tym było położone „centralnie". Sprawiedliwie dla wszystkich. Markus, jej mąż, miał przywieźć ze Stuttgartu swoich rodziców, jej matka miała niedaleko z Essen, a jej siostra z rodziną mieszka w Amsterdamie, więc także bardzo blisko. Tak naprawdę to ona, z Berlina, miała najdalej, ale to było bez znaczenia. Chciała mieć wszystkich „najważniejszych i ukochanych" tego dnia przy sobie. Zamknąć ich w Gościńcu, bez możliwości ucieczki, daleko od autostrad, Internetu i codziennych spraw. Napoić winem z winogron rosnących tuż obok, nakarmić prawdziwą kaszanką z kapustą kiszoną z liśćmi winorośli, a potem wieczorem zebrać wszystkich w salonie przy kominku i zakomunikować, jak to ujął Markus, „najradośniejszą nowinę".

Markus oszalał na punkcie tej nowiny. Katarina była w ciąży! Tak naprawdę to on chyba bardziej chciał dziecka niż ona. „Najlepiej córeczki takiej jak ty, ale jeśli urodzi się syn, nigdy mu tego nie powiem". Prosił ją, aby przestała pracować, gdyby mógł, to chodziłby za nią do ginekologa co drugi dzień, kilka razy dziennie dzwonił i pytał, czy „na pewno jadła". Kupił tony książek na temat ciąży, szukał w Stuttgarcie większego mieszkania niedaleko parku i każdego dnia pisał do niej listy. Takie prawdziwe, w kopertach, na papierze. W zasadzie nie do niej, bo w tytule za każdym razem widniało: „List do mojego dziecka...". Wzruszał ją tym i czasami rozbawiał. Niekiedy irytował, bowiem często wydawało się jej, że traktuje jej ciążę jak niebezpieczną chorobę, a ją jako osobę po rozległym zawale serca. A to przecież był dopiero dziesiąty tydzień. Tak naprawdę świat nie zauważył jej ciąży, a ona sama jeszcze nie przywiązała się do stworzenia, które nosi w sobie. Czasami cieszyła się, że żyją z Markusem w „małżeństwie na odległość". On tam, w Stuttgarcie, ona bezpieczna daleko, w Berlinie. Inaczej posadziłby ją chyba na wózku inwalidzkim i podawał jej butlę z tlenem, gdyby tylko zakaszlała więcej niż dwa razy.

Ci naprawdę ważni mieli się dowiedzieć o dziecku właśnie w Gościńcu. Wszyscy niecierpliwie czekali na tę nowinę. Jej matka, bo „czas najwyższy, aby miała pełną rodzinę", jej siostra, bo „jeszcze rok lub dwa, a zaplączesz się w projekty i dobrobyt, tak że ci się odechce", a rodzice Markusa, bo „modlą się o wnuka, odkąd Markusek podarował nam taką córkę".

Niecierpliwość Markusa od pewnego momentu przerodziła się w dziwaczną obsesję. Podczas jej ostatniej wizyty w Stuttgarcie nie kochali się. Dotykał jej ciała, całował, przytulał, gładził jej brzuch, ale nic więcej. Chociaż ona bardzo chciała. Markus uważał, że tak będzie „bezpieczniej dla dziecka". Następnego dnia rano pojechali nad Jezioro Bodeńskie, do Konstancji. Wcale nie na spacerową przejażdżkę, jak na początku przypuszczała. Po drodze opowiadał jej z przejęciem, jak bardzo wiele można

„dowiedzieć się o naszym dziecku już teraz" — zaledwie po kilku tygodniach od zapłodnienia. Używał mądrych naukowych terminów, wpychał jej do rąk wydruki artykułów z amerykańskich i niemieckich czasopism, opowiadał o tym, jak to molekuły płodu, który jest wielkości połowy paznokcia i waży około czterech gramów, przedostają się do krwiobiegu matki i jak łatwo można je stamtąd wyłowić, a następnie genetycznie przeanalizować oraz „bez problemu przeczytać, jak książkę". Wystarczy kilka mililitrów krwi matki, potem przez trzy dni dekodery zapisują dane z molekuł płodu, a następnie trzy komputery sporządzają szczegółowe mapy chromosomów. Na końcu dodał, podekscytowany: „Niecały tydzień, Katarina, i możemy się dowiedzieć, czy będziemy mieli chłopca, czy dziewczynkę!". W tym momencie była już pewna, że nie jadą na piknik na łące przy Jeziorze Bodeńskim. Było w nim mnóstwo entuzjazmu. Niecierpliwy ojciec chce wiedzieć już teraz, czy będzie miał córkę, czy syna. Nie mogła się nie zgodzić. W klinice w Konstancji oczekiwali ich przybycia. Markus wszystko już wcześniej ustalił, zarejestrował, dokonał opłat. Po godzinie wracali do domu.

Na tydzień przed jej urodzinami Markus przyleciał po nią do Berlina. Spotkali się na lotnisku. Całą noc jechali samochodem do Konstancji. Rano lekarz pokazał im wyniki testu. Nosiła w sobie dziewczynkę. Z trzema kopiami chromosomu 21. Normalne dzieci mają tylko dwie kopie. Ich córka, jak wykazały bezsprzecznie badania, posiada trzy. Ma trisomię 21, czyli zespół Downa. Markus wyrwał z dłoni lekarza kartki z wynikami i wyszedł z gabinetu. Czekała na niego do późnego wieczoru na ławce przed kliniką. Wróciła do Berlina sama, pociągiem. Po drodze zadzwoniła do wszystkich, że musi „odwołać Gościniec".

Następnego dnia nie poszła do pracy. U znajomego adwokata złożyła wniosek o rozwód...

Przylądki dobrych nadziei

Gdy nadeszła najwyższa fala, podali sobie ręce i wypowiedzieli swoje zaklęcie. Ustalili je jeszcze w domu, w Berlinie. Pewnej nocy, gdy padał świeży grudniowy śnieg, tuż po Wigilii. Dzisiaj jest także po Wigilii. Tyle że rok później. Przekrzykując łoskot wody rozbijanej o skały, wypowiadali swoje zaklęcie. Tutaj. Na końcu świata, na Przylądku Dobrej Nadziei. Tak sobie obiecali. Gdy „będzie już po wszystkim". To znaczy gdy się wszystko zacznie, jak twierdził Ralph. Jest po wszystkim i wszystko się także zaczęło. Czekają. Zaczęli czekać. Na swoje dziecko rozwijające się w wynajętym brzuchu innej kobiety...

Oboje bardzo chcą tego dziecka. Ralph już ma nawet listę imion. Pięć dla dziewczynki i osiem dla chłopca. Bianka ma już jedno dziecko. Córkę z poprzedniego związku. Urodziła ją pięć lat temu przez cesarskie cięcie. Po porodzie jej macica rozpadła się na kilka części. Bianka zalała stół operacyjny trzema litrami krwi. Tylko czujności lekarzy zawdzięcza to, że w ogóle żyje. I temu, że w trakcie kilkugodzinnej operacji usunięto jej macicę. Ojciec jej córki nawet o tym nie wie. On chciał, aby usunęła ciążę, a gdy się nie zgodziła, pośpiesznie wyjechał do innego kraju. Bez pożegnania. Ralph wie o wszystkim. Opowiedziała mu po ich pierwszej wspólnej nocy. Nie ma macicy i nie jest „pełnowartościową kobietą". Tak mu powiedziała. Bo tak się czuła i za taką się uważała. Wybrakowana, z blizną zamykającą próżnię w środku. Pamięta tylko, że Ralph wtedy na kilka minut zamilkł i w ciemności delikatnie dotykał opuszkami palców jej brzucha. A potem chyba się w niej zakochał.

W trakcie ich nocy poślubnej, dwa lata później, także o tym rozmawiali. Wtedy już inaczej. Jak mąż i żona. Potem rozmawiali o tym także, gdy było jasno. Coraz częściej. Chcieli swojego dziecka. To wiedzieli oboje. Adopcja w Niemczech, jak się wkrótce okazało, nie wchodziła w rachubę. Ralph mający powyżej czterdziestu pięciu lat, był na to za stary. W Niemczech „starcy" tacy jak on nie mają prawa do adopcji. Jest ściśle ustalona górna i dolna granica wieku obojga rodziców. Ralph tę górną przekroczył. Ojcowie w wieku Ralpha to dziadkowie.

Tak pośrednio wynikało z listu podpisanego nie-
czytelnymi kulfonami (ale z wydrukowanym tytu-
łem doktora przed nazwiskiem). Ralph poczuł się
jak — cytując jego własne słowa — „zużyty stary pe-
nis z domu starców". Ale po tygodniu się uspokoił.
Zaczęli poszukiwać dziecka poza granicami Niemiec. Kontaktowali się z odpowiednimi urzędami
najpierw we wschodniej Europie, potem w Azji, a na
końcu w Afryce. Powoli okazywało się, że adopcje,
o których informują media, dotyczą tylko gwiazd
filmowych lub znanych piosenkarek. Z tonu kore-
spondencji, a także rozmów z urzędnikami odnosili
wrażenie, że traktuje się ich jak potencjalnych hand-
larzy niewolnikami. Po dwóch latach biurokratycz-
nych walk i niekiedy poniżających przesłuchań zre-
zygnowali. Wtedy Bianka, zachęcana przez swojego
ginekologa, zaczęła rozważać zapłodnienie in vitro
i umieszczenie zarodków w macicy innej kobiety.
W Niemczech zabraniało tego prawo. Po długich
poszukiwaniach zdecydowali się — ze względu na
liberalne przepisy oraz wysoki poziom opieki me-
dycznej — na klinikę w Republice Południowej
Afryki. Przez specjalną agencję z Kapsztadu uzys-
kali dostęp do listy kobiet gotowych za pieniądze
wynająć swoje ciało, aby — jak to określił Ralph —
„donieść" ich dzieci. Właśnie tak. Dzieci. Ralph po
długich dyskusjach przekonał ją, że powinni mieć

22

bliźniaki! Po miesiącu polecieli do Johannesburga na spotkanie z Tiną, młodą, dwudziestoczteroletnią kobietą, córką Niemca i Kanadyjki. Wcześniej za pośrednictwem lekarza i specjalnej agencji ustalili z nią wszystkie medyczne i prawne szczegóły przekazania zarodków. Przez trzy tygodnie cykle owulacyjne Bianki i Tiny były synchronizowane za pomocą środków hormonalnych. Na trzy dni przed pobraniem komórek jajowych z jajników Bianki wylądowali w Johannesburgu i pierwszy raz spotkali się w klinice z wynajętą matką ich dzieci. W obecności lekarza i prawnika podpisali kontrakt. Ustalona suma została wypłacona; surogatka ma zakaz palenia papierosów i spożywania alkoholu w czasie ciąży, a aborcja dopuszczalna jest jedynie w razie zagrożenia życia matki. „Strony ustalają także, że wynajmowana matka nie będzie czyniła nic, aby zbudować więź emocjonalną z płodem oraz urodzonym dzieckiem". Ta klauzula kontraktu była dla Bianki tak samo absurdalna jak stwierdzenie, że „jedynym celem wynajmowanej matki jest udostępnienie swojego organizmu w celach reprodukcyjnych".

Trzydzieści sześć godzin po podpisaniu kontraktu lekarz pobrał podczas zabiegu pod pełną narkozą dokładnie osiem komórek jajowych z jajników Bianki. W tym czasie zawstydzony sytuacją Ralph, zamknięty w specjalnym pokoju, wyejakulował swoją spermę i dostarczył ją do badań laboratoryjnych. Nasienie zostało ocenione jako „materiał najwyższej klasy". Z ośmiu komórek jajowych pobranych do zapłodnienia trzy zostały ocenione jako „bardzo dobre", a dwie jako „odpowiednie". Jeszcze tego samego dnia wszystkie pięć zapłodniono plemnikami ze spermy Ralpha. Trzy dni później, gdy zarodki składały się z ośmiu komórek, dwa z nich zostały ulokowane przez ginekologa w macicy Tiny. I wtedy zaczęło się ich czekanie. A dzisiaj po Wigilii pojechali na Przylądek Dobrej Nadziei. Wypowiedzieć swoje zaklęcie...

Udręka monogamii

Przywra monogeniczna *Diplozoon paradoxum* jest pasożytem ryb z rodziny karpiowatych. Osiąga długość do jedenastu centymetrów. Dorosłe formy osadzają się w skrzelach ryby i wysysają krew żywiciela. Jest jednym z tysięcy znanych biologom pasożytów i nie byłoby w tym nic specjalnie interesującego, gdyby nie fakt, że jest jedynym absolutnie monogamicznym stworem na ziemi. Larwa *Diplozoon* nie przekształca się do postaci dorosłej do czasu napotkania drugiej larwy. Po osadzeniu się na skrzelach larwy zrastają się parami i zaczynają się przeobrażać. Dopiero u zrośniętych osobników wykształcają się narządy rozrodcze, samca w jednej części, a samicy w drugiej. *Diplozoon* nie może z natury rzeczy być poligamiczny. Nie ma po prostu wyboru. I to jest *paradoxum* jedyne w swoim rodzaju.

Jeśliby paradoksalność mierzyć w procentach, to drugi na liście — w kontekście przywiązania do monogamii — jest homo sapiens. Około 50 procent przedstawicieli tego gatunku pozostaje przez całe życie w monogamicznym związku z tylko jednym partnerem. Dla neurobiologów, biologów ewolucji, a także antropologów jest to bardzo zagadkowe i co najmniej dziwaczne. Dlaczego aż pięćdziesiąt procent?! To jest przecież wbrew Naturze — przez duże N — i zupełnie nie jest w interesie gatunku. A pomimo to ludzie chcą być sobie wierni. I w pewnym momencie ich życia obiecują to sobie nawzajem z pełnym przekonaniem. Bardzo często pod przysięgą, w obecności Boga i kapłanów albo w obecności godła i urzędników, a także świadków. I potem własnoręcznymi podpisami na przeróżnych dokumentach uwiarygadniają te obietnice: „że do końca życia...". Wcześniej jednak wielokrotnie obiecują to sobie w szeptanych wyznaniach, tuląc się do siebie, całując, dotykając i łącząc się z sobą.

Pragnienie dochowania wierności jest u ludzi powszechne. Według ostatnio opublikowanych wyników studiów uniwersytetów w Hamburgu i Lipsku (2010 rok) ponad 90 procent ankietowanych mężczyzn i kobiet chce pozostać wiernymi do końca życia jednej partnerce lub jednemu partnerowi. Dotyczy to zarówno par heteroseksualnych, jak i homoseksualnych. Z tychże samych ankiet wynika, że dotychczas tylko mniej więcej 50 procentom się to udało. Ale jak twierdzi profesor Volkmar Sigusch, światowej sławy seksuolog z Uniwersytetu Johanna Wolfganga Goethego we Frankfurcie nad Menem i jednocześnie terapeuta z trzydziestoletnią praktyką, nie powinno się w te przesadzone, jego zdaniem, 50 procent wierzyć, bowiem ludzie bardzo niechętnie mówią prawdę na temat swojego życia seksualnego. Tylko w przypadku oświadczeń podatkowych kłamią jeszcze bardziej.

Monogamia jako model związku między mężczyzną i kobietą jest ciągle bardzo atrakcyjna. Ludzi fascynują literackie historie Penelopy i Odyseusza, Romea i Julii czy Orfeusza i Eurydyki. Ale znają także historie „wolnej miłości" z okresu rewolucji seksualnej końca lat sześćdziesiątych dwudziestego wieku, kiedy to seks uznawano za źródło nieskończonej przyjemności, szczęścia i drogi do wolności, oddzielając go od pojęcia rodziny, macierzyństwa, ojcostwa i odpowiedzialności. Destrukcyjny wpływ tamtej „rewolucji" wyraźnie odzwierciedlają dzisiejsze statystyki. W ramach projektu pilotowanego przez uniwersytet z Monachium zadano pytanie: „Czy zdrada partnerki/partnera byłaby dla pana/pani poważnym problemem dla obecnego związku?". Siedemdziesiąt siedem procent respondentów urodzonych pomiędzy 1990 a 1994 rokiem odpowiedziało, że tak. Natomiast spośród osób urodzonych pomiędzy 1970 a 1974 rokiem jedynie 64 procent odpowiedziało twierdząco. Wszystko wskazuje na to, że dzisiejsi młodzi ludzie oddalają się powoli od idei „wolnej miłości" i cenią ekskluzywność swoich związków bardziej niż ich rodzice. Tak przynajmniej twierdzą w ankietach mających określić ich wartości. Ale czy wcielają te wartości w życie? Niestety nie tak skutecznie jak ich rodzice. Na pytanie: „Czy w ostatnim roku dopuściłeś się zdrady?" 4,5 procent osób urodzonych w latach 1990–1994 odpowiada twierdząco, podczas gdy tylko 1,8 procent urodzonych między 1970 a 1974 rokiem przyznaje się do zdrady. I to pomimo że urodzona w 1970 roku statystyczna czterdziestolatka osiągnęła apogeum swoich niezaspokojonych potrzeb seksualnych, a jej statystyczny partner, znudzony zanikającym pożądaniem tylko jednej kobiety, wkracza w niebezpieczną fazę kryzysu wieku średniego.

Te dane bardzo dobrze obrazują przepaść pomiędzy tym, czego sobie życzymy względem siebie, a tym, kim jesteśmy naprawdę. Bo dochowywanie wierności to nieustanna walka z naturą i z poligamicznym zwierzęciem, które się w nas kryje. Niektórzy walczą w bardzo sprytny sposób. Nie są wierni jednemu partnerowi przez całe życie, ale dotrzymują wierności — nazwijmy to — seryjnie. Taka wierność *light*. Dotrzymują jej przez krótszy lub dłuższy czas różnym partnerkom lub partnerom i w ankietach w absolutnej zgodzie ze swoim sumieniem stawiają haczyk przy odpowiedzi „jestem wierna/wierny".

Człowiek wierny nie ma łatwo w życiu. Tak twierdzą socjologowie, mówiąc o udomowieniu i nudzie, tak twierdzą neurobiolodzy, mierzący spadający z czasem poziom stężenia endorfin w mózgu, tak deklarują seksuolodzy, próbujący na nowo zagonić do łóżka ludzi, którzy przestali się pożądać. A mimo to aż połowa naszego gatunku uważa, że warto przywrzeć do siebie raz na zawsze. Z wyboru...

Wydarzenia nieoczekiwane

Bo wie pan, ja — odkąd go kocham — żyję w zadzi-
wieniu. Nie w jednym. W wielu. Takich ogromnych
ZADZIWIENIACH. Nie dają mi spokoju. Boję się
ich, ale także ich pragnę. Jak jakaś niezdecydowana
lub zdecydowana, jednakże bardzo religijna nastolatka pragnąca pocałunków swojego chłopaka podczas
drugiej randki na ławce w ciemnym parku. Każdego
następnego bardziej. A to jest, proszę pana, bardzo
niebezpieczne. Ponieważ, po pierwsze, ja już niestety od bardzo dawna nie jestem nastolatką. A po dru-
gie, związek winien być oparty — tutaj go dokładnie
zacytuję — na „określonej powtarzalności pewnych
zwyczajnych wydarzeń": kwiaty dostarczone nocą,
śniadanie podane do łóżka po dwudziestej, śmigus-
-dyngus pierwszego stycznia, lot helikopterem nad
Warszawą w czasie przerwy na lunch w poniedzia-
łek. Niech pan na mnie nie spogląda jak na kobietę

niespełna rozumu. Ja wcale teraz nie żartuję. Dla niego takie historie są normalne. I on — gdy go tak obserwuję — czerpie z nich więcej radości niż ja. Ponieważ ja, zanim zacznę się cieszyć, muszę się najpierw jakoś otrząsnąć ze zdziwienia. On uważa, że tylko za pomocą wspólnych przeżyć — mocniej niż wyznaniami i obietnicami — można połączyć dwie biografie. Tyle że dla wielu znanych mi par „wspólnym przeżyciem" jest spacer po Łazienkach. Raz na kwartał. Nie jest to ani gorsze, ani lepsze od tego co ja rozumiem jako „przeżycie". Jest po prostu inne. Gdy go poznałam, zachwycił mnie swoją chłopięcą ciekawością i nieprzewidywalnością. Ale potem, gdy po pokochałam, zaczęło mi to przeszkadzać, a niekiedy drażnić. Zapragnęłam znaleźć nasz wspólny mianownik, wprowadzić pewne ceremoniały, narzucić zwyczaje, przewidywać jego zachowania. Bo to uspokaja, łączy, ustala reguły wspólnej codzienności, wprowadza bezpieczeństwo, pozwala planować przyszłość. Tę wspólną. Tak w pewnym sensie też się stało. Wiem, że rano, zanim zniknie w łazience, robi sobie kawę, a potem pije zimną, chociaż woli gorącą. Gazety zaczyna czytać od ostatniej strony do pierwszej. W czwartki wieczorem sam chodzi do czytelni, chyba że jesteśmy na urlopie lub musi wyjechać na jakąś konferencję naukową poza Warszawę. Gdy mnie rozbiera, to stanik zdejmuje na samym końcu, a gdy całuje, to ma swoje — podobnie jak ja — ulubione miejsca na moich plecach. On pewnie także posiada swoją listę moich przewidywalnych zachowań. I to jest właśnie ten wspólny mianownik, o którym tutaj panu wspomniałam. Tyle że on ze względu na swój wiek, świadom skutków upływu czasu oraz nauczony wydarzeniami ze swojej własnej uczuciowej przeszłości z innymi kobietami zdał sobie w pewnym momencie sprawę, do czego prowadzić może nadmierna przewidywalność. Miłość oparta jedynie na wspólnym mianowniku to — jego zdaniem — marny film kryminalny, w którym od początku wiadomo, kto zabił, a mimo to ogląda się go do końca. Ja pojawiłam się w jego życiu, gdy już to wiedział. Dlatego życie z nim jest pełne niespodzianek. To czasami oczarowuje, a czasami przeraża jak śnieżyca w lipcu. Za każdym razem rozbudza jednak ciekawość, co będzie dalej. Jaką tajemnicę wyjawi mi następnym razem. Wie pan, że my nie jesteśmy małżeństwem? Chociaż mi się oświadczył, notabene w tramwaju. Bo my, proszę pana, poznaliśmy się w tramwaju, gdy zupełnie zagubiony wracał z warsztatu, w którym zostawił do naprawy swój samochód, i próbował kupić ode mnie bilet. Po tych oświadczynach przysłał mi telegram z informacją o dacie ślubu. Telegram, proszę pana! Taki jak kiedyś, na papierze, w kwiecistej kopercie.

Z naklejonymi na kartce papieru paskiem z tekstem: „Nasz ślub–stop–odbędzie się–stop–dnia–stop...". Coś takiego dzisiaj, w czasach komórek i Internetu! Namówił kolegę, aby przebrał się za listonosza, wykradł mój dowód osobisty, skorumpował jakimś sposobem urzędniczkę w USC i zaprosił mnie tym telegramem na nasz ślub. Ale miał pecha, bo ja w listonoszu z telegramem rozpoznałam jego kolegę z uczelni. I oczywiście nie poszłam na swój ślub. Byli wszyscy nasi przyjaciele, była cała jego i moja rodzina. Tylko mnie nie było. Wie pan, że nie wiedziałam wówczas, czy płaczę z miłości do niego, czy z wściekłości? On, proszę pana, w tym swoim zadziwianiu mnie jest romantycznym anarchistą, który wbiega na najwyższe barykady. Potrafi łamać wszystkie reguły, aby tylko przydarzyło się nam coś nieoczekiwanego. Życia z takim człowiekiem trzeba się nauczyć. Dopiero potem można się cieszyć tym, co w nie wnosi. I chociaż wiem, że robi to z miłości do mnie, to czasami się boję, ponieważ niekiedy czuję się, jak gdybym nagle napotkała zupełnie obcego mi człowieka, z którym mam wyruszyć w daleką i najważniejszą podróż w życiu. Ale ten niepokój szybko mija. Zaczynam ponownie wywąchiwać w nim tego samego mężczyznę, któremu zaufałam i z którym chcę budzić się co rano. Czuję wprawdzie mrowienie mózgu jeszcze przez jakiś czas, ale potem wszystko powraca do bezpiecznego wspólnego mianownika. On znowu pije zimną kawę po prysznicu oraz znowu całuje te magiczne miejsca, gdzie moje plecy spotykają się z pośladkami. I tak trwa to tydzień, albo nawet dwa...

O kobiecości

Marcel twierdzi, że ma czterdzieści cztery lata. Natychmiast pospiesznie wydobywa z poszarpanego portfela swój szwajcarski dowód osobisty i wskazuje palcem wpisaną koślawym pismem liczbę przykrywającą jego oficjalną datę urodzenia.

— Miałem czterdzieści cztery, kiedy poznałem Klausa — mówi ściszonym głosem i zaciąga się łapczywie papierosowym dymem — to był najlepszy rok mojego życia. To wtedy dopiero tak naprawdę się urodziłem. Dla mnie tamten rok nie skończył się nigdy. I nie skończy. Chociaż dla Klausa to było jedenaście lat temu. Dokładnie to jedenaście i pół, ale nieważne — dodaje, dotykając nerwowo pierścionka na palcu lewej dłoni.

Marcel mieszka w blokowisku na przedmieściach Zurychu, ale większość czasu spędza na placu Bellevue, w centrum miasta, przy jeziorze, na przystanku tramwajowym, nieopodal ratusza. Na początku miesiąca odbiera w ratuszu swoją zapomogę w gotówce, ponieważ żaden bank nie chce mu otworzyć konta.

— Bo widzi pan, w tej Szwajcarii — ironizuje — banków jest więcej niż przedszkoli, ale w żadnym z nich nie ufają mężczyznom w szpilkach.

Po kilku dniach, kiedy w portfelu ma już tylko dokumenty i ostatnie banknoty, najpierw rezygnuje z jedzenia w restauracjach, potem z wina, aż w końcu przechodzi na „łamiące prawa człowieka śmiercionośne śmieci z ulicznych grillów". Jedynie z palenia trudno ot, tak sobie zrezygnować, więc zawczasu wybiera niedopałki z popielniczek na stolikach wokół baru na placu Bellevue.

— I budzę przy tym — mówi bez żadnej pretensji w głosie — odrazę podwójną.

Widok Marcela wygrzebującego niedopałki z popielniczek może być dla niektórych szokujący. Naznaczona głębokimi zmarszczkami, męska twarz, do tego wyraźna łysina, barczyste ramiona. I tu kończy się Marcel jako mężczyzna. Potem jest kobiecy. Złote kolczyki w uszach, różowa szminka na ustach, przedłużone mascarą rzęsy, fioletowoszary lakier na paznokciach delikatnych dłoni. Damska czarna sztruksowa marynarka, wzorzysta bluzka z lycry, spodnie rybaczki i zamszowe krwistoczerwone szpilki.

Podchodzę do Marcela, podaję mu dwa papierosy. Podąża za mną do stolika, przy którym stałem. Zaczynamy rozmawiać. Jest zdziwiony, gdy dowiaduje się, że nie znam francuskiego. Przechodzi na niemiecki i widząc moją bezradność, unika szwajcarskiego dialektu. Nieskomplikowane preludium do głębszej rozmowy. Skąd się tu wziął? Dlaczego w tym nudnym Zurychu, a nie w pulsującej życiem Genewie? Czy Polska, „nie daj polski Bóg", przebaczyła może Niemcom? Bo on, „gdyby był Polską", toby nie mógł. Odpowiadam krótkimi zdaniami, ukrywając swoją ciekawość. Nieudolnie. Bo przecież ja nie chcę rozmawiać ani o rozkładzie nudy na mapie Szwajcarii, ani o Bogu, ani o przebaczeniu. Chcę o czymś innym. Cztery kawy, trzy kieliszki wina i pół paczki papierosów później wiem, że Marcel zauważył moją nieudolność. Rozmawiamy wreszcie o jego skomplikowanej płciowości. On sam prawie w ogóle nie używa słowa „płeć". Konsekwentnie mówi: „gender".

Marcel jest po filozofii na „nadętej Sorbonie". Z dyplomem powrócił do domu w Bazylei i pewnego deszczowego wieczoru spotkał Klausa. To było wiele lat po tym, jak ojciec — ponieważ jego pierworodny syn nosił szpilki nie tylko w najgłębszej tajemnicy w swoim pokoju, ale także publicznie — najpierw oficjalnie go wydziedziczył, potem przegnał z domu, a na końcu całkowicie się wyparł „tego obojnaka". Potem powoli wypierał się go także świat. I to w uznawanej za tolerancyjną Szwajcarii. Oficjalnie taka jest, ale tolerancja to o wiele więcej niż przepisy prawa w jakichś dokumentach. Tolerancja to sprawa umysłu i serca. Nie było dla niego pracy, nikt nie chciał wynająć mu mieszkania, ludzie, których uznawał za przyjaciół, także powoli zamykali przed nim drzwi do swych domów. Dotknięty szczelnym ostracyzmem, a niekiedy odrazą, dowiadywał się, że powinien się zdecydować, kim jest.

Ale on nie potrafi się zdecydować — i nie chce. Bo czasami czuje się kobietą, a czasami mężczyzną. Jest tak samo przywiązany do swojego penisa, jak do poczucia kobiecości w swoim umyśle i podbrzuszu. Dlatego „nie wyszprycuje sobie piersi" hormonami ani tym bardziej nie pozwoli sobie na to, by chirurdzy uformowali mu między nogami waginę.

— Bo *gender* to sposób myślenia i odczuwania, a nie tkanka tłuszczowa czy otwór z kanałem — dodaje.

Najpierw przyszła samotność, potem rozpacz, na końcu chroniczna depresja i dwie próby samobójcze. Po ostatniej, w klinice psychiatrycznej, poznał Klausa. Klaus pracował tam jako lekarz i był tak samo „dualny" jak on. Tyle że utrzymywał to w największej tajemnicy. Po dwóch miesiącach po-

bytu w klinice Marcel nie powrócił do swojej bez-
domności. Wprowadził się do Klausa.

— Panu trudno w to uwierzyć, ale to była praw-
dziwa miłość, a nie jakiś akt desperacji z braku wyboru — mówi cichym głosem. — Pokochałem go
nie dlatego, że był jak drugi rozbitek na bezludnej
wyspie. Mikroskopijnie mało prawdopodobne spotkanie naszych inności miało znaczenie, ale wcale nie
decydujące. Najważniejsze były miłość i szacunek.
Jako mężczyzna chciałem opiekować się kobietą
w Klausie, a jako kobieta — czuć się bezpieczny,
otoczony jego męską siłą. To trudne do pojęcia, gdy
mózg ma tylko jedną płeć. Ja wiem. Kilka lat pielęg-
nowaliśmy tę miłość. Chowaną pieczołowicie przed
pogardzającym nami światem. Ale od pewnego momentu Klaus zaczął się definiować. Poznał w klinice
pewną kobietę. Moja okresowa kobiecość przestała
mu wystarczać...

O wolnym rynku

Wyniki badań (z 2011 roku) niemieckich socjologów pracujących na zlecenie niezależnej organizacji GEWIS* po raz kolejny potwierdziły to, co dla wielu niestety przestawało być oczywiste: jedną z największych wartości w życiu człowieka jest miłość. Ta długotrwała, odwzajemniona oraz oparta na monogamicznej wyłączności. Takie przekonanie wyrażało średnio ponad 78 procent ankietowanych kobiet i około 65 procent mężczyzn. Wiek ankietowanych nie odgrywał przy tym znaczącej roli. Różnice wyników dla grupy wiekowej 20–30 lat w porównaniu z grupą 55–65 lat były nieznaczne. Okazało się, iż zarówno młodzi, jak i starsi cenią miłość jako naj-

* Gesellschaft für Erfahrungswissenschaftliche Sozialforschung — Towarzystwo Naukowodoświadczalnych Badań Socjologicznych.

większą wartość w swoim życiu. Pragnienie miłości — przynajmniej to zmierzone w procentach — nie jest funkcją przeżytych lat. Psychologowie nie są tymi wynikami specjalnie zdziwieni. Twierdzą, w tym przypadku zadziwiająco zgodnym głosem, iż w czasach rewolucji neoseksualnej — a tak określa się obecny trend seksualności w obszarach tak zwanej kultury zachodniej — miłość romantyczna stała się dobrem unikatowym. Nie można jej ani wyprodukować, ani kupić. I to jedynie ona zapewnia doświadczenie absolutnego zrozumienia, bezgranicznej bliskości oraz poczucia bezpieczeństwa. Seksualność natomiast przez nieomal całkowite jej uwolnienie została zbanalizowana. Stała się dostępna wszędzie i we wszelkich formach. To, co Internet oferuje na wolnym rynku seksualności, jest z jednej strony rezultatem wspomnianego trendu neoseksualności, a z drugiej — najintensywniej go wzmacnia. Szczególnie młode pokolenie, urodzone i doroślejące w czasach globalnego dostępu do Internetu i wychowane w przekonaniu o potędze, uroku, ale także zagrożeniach wolnego rynku, gdzie wszystko można znaleźć i nabyć, przeniosło to przekonanie także do przestrzeni relacji międzyludzkich. Takim wolnym rynkiem okazuje się Internet. Majątek, który można zbić w Internecie na ludzkiej samotności, nie mógł ujść uwagi kapitalistów

„nowych mediów". Oni także analizują statystyki GEWIS na temat pragnienia miłości, a ponadto wiedzą, że na przykład w Niemczech mniej więcej 40 procent gospodarstw domowych zamieszkują samotne kobiety i samotni mężczyźni, którzy wcale nie chcą zasypiać i budzić się sami. Do chwili obecnej (marzec 2012) tylko na terenie Niemiec funkcjonuje dwa i pół tysiąca portali kojarzących ludzi w pary. Ponad siedem milionów osób podało swoje dane, rejestrując się na tych portalach. Większość z nich udostępniła także numery swoich kont bankowych lub kart kredytowych, dzięki czemu internetowy biznes kojarzenia samotnych tylko w 2010 roku zarobił w Niemczech niebagatelną sumę ponad 190 milionów euro.

Z karty kredytowej Bettiny, trzydziestopięciolatki, pobrano tylko kilkaset euro. Bettina uważa, że to rozsądna cena za wiedzę, którą posiadła. Markus fotografował dla niej biedronki na liściach kwiatów w swoim ogródku. Każdego dnia znajdowała fotografię nowej biedronki w swojej skrzynce na Facebooku. Kiczowate, ale i romantyczne zarazem. Potem pierwsze noce i uczucie, że jest zakochana. On „nie był jeszcze na to całkiem gotowy". I chyba z braku gotowości po piątej nocy zniknął z jej życia, a po paru dniach z portalu. Kilka miesięcy później trafiła na Rolanda, który był nieomal kopią Markusa, tyle że nie lubił biedronek i uwielbiał kochać się z nią w swoim samochodzie na leśnych parkingach. Nie był jednak gotowy na nic poważnego. Gdy pewnego razu po wyjeździe z parkingu, na autostradzie, zapytała go szeptem, bez szczególnego nalegania, kiedy będzie gotowy, natychmiast przestał dotykać ud Bettiny i odpowiadać na jej telefony.

Kolejnego mężczyzny spotkanego w sieci nie pytała już o nic poważnego. Ponieważ nie chciała niczego poważnego, a tym bardziej żadnej bliskości, tęsknoty i na końcu poharatanej godności. Cały ten internetowy jarmark spragnionych i „niegotowych" nie miał z miłością nic wspólnego. Dopasowała się zatem i stała okazyjnie neoseksualna. Szczególnie nocą, po kilku kieliszkach wina i długiej kąpieli w wannie. Takiej właśnie nocy zaczepił ją Bernd. O kilka lat starszy od niej, na fotografii profilowej kusząco przystojny i na dodatek zadeklarowany buddysta, tak jak ona. Ich pierwsza rozmowa telefoniczna trwała trzy godziny. W trakcie kolejnych sześciu tygodni mailowania ona przekonywała go, że „potrzebuje czasu", a on, że jest w niej zakochany i że „mają cały czas tego świata". Dwa dni później podekscytowana jak nastolatka czekała na niego wieczorem na lotnisku. Po drodze do jej domu na każdym skrzyżowaniu całował jej szyję i uszy. W nocy usłyszała kilkakrotnie opowieść o jego wielkim uczuciu, a także to, że „potrafi i chce czekać". Potem był romantyczny weekend w Salzburgu w małym hoteliku z zsuniętymi łóżkami, które uparcie rozsuwały się podczas seksu. To po Salzburgu utraciła czujność i gdy poczuła znaną sobie potrzebę bliskości, wszystko zaczęło się od nowa. On przestał powtarzać, że „mają całą wieczność", a wkrótce miał jedynie kilka minut na krótkie zdawkowe rozmowy. Po kilku tygodniach przypadkowo znalazła jego fotografię, tyle że na profilu zarejestrowanym pod innym nazwiskiem. Kiedy zapytała go o to, więcej się do niej nie odezwał...

Seks i marksizm w wielkim mieście

Miłość bolała zawsze, ale teraz „socjalna struktura i organizacja tego cierpienia" uległy radykalnej zmianie. Tak przynajmniej twierdzi Eva Illouz, lat 51, zatwardziała feministka, wyznawczyni poglądów Simone de Beauvoir, urodzona w Maroku, wykształcona w Paryżu i USA, obecnie profesor socjologii na uniwersytecie w Jerozolimie, żona i matka trójki synów. Jej ostatnia kontrowersyjna książka *Warum Liebe weh tut?* (*Dlaczego miłość boli?*) porusza i zastanawia. Nie tylko feministki...

Uczucia uczuciami, ale trudno je w czystej formie wyłuskać i oddzielić od konkretnych relacji i konstelacji społecznych, twierdzi Eva Illouz. Niektórzy ludzie funkcjonują w konstelacjach o wiele korzystniejszych niż inni, jeśli chodzi o definiowanie warunków, po których spełnieniu zostaną pokochani. Na przykład mężczyźni — odkąd ich zdolność do pracy jest na sprzedaż, nie potrzebują wokół siebie instytucji rodziny, aby uzyskać uznanie i awansować w hierarchii społecznej. A to, że wysoka pozycja w owej hierarchii niepomiernie ułatwia mężczyznom dostęp do kobiet, od dawna nie ulega żadnej wątpliwości. Rodzina stała się obecnie dla mężczyzny opcjonalna. Nie jest potrzebna, aby został uznany za człowieka sukcesu. W przypadku kobiet nie jest to niestety tak oczywiste. Szczerze mówiąc, w ogóle nie jest oczywiste. Samotne kobiety, które zajęły miejsce na tym samym szczeblu drabiny społecznej — gdzie także dotarły mozolną pracą — nie są kojarzone z sukcesem. Brak stałego partnera — w dzisiejszych czasach niekoniecznie męża — jest postrzegany jako okoliczność negatywna i dyskwalifikująca. Szczególnie po przekroczeniu przez te kobiety określonego wieku. Zupełnie odwrotnie niż w przypadku mężczyzn. Ponadto zaobserwować można pewne zjawisko socjologiczne. Normą stał się fakt, iż mężczyźni zawierają związki małżeńskie z kobietami o wiele młodszymi od siebie. Czterdziestoletni mężczyzna o wysokiej pozycji społecznej bez problemu może wybrać kobietę dwudziestokilkuletnią, ale i czterdziestokilkuletnią. I to ze statusem ekonomiczno-społecznym o wiele niższym niż jego własny. Społecznie jest to w zupełności akceptowane i tak naprawdę nie zwraca dzisiaj niczyjej uwagi. Na dodatek liczne badania socjologiczne potwierdzają, że młode kobiety chętnie wchodzą w takie związki. To znaczy tym częściej, im wyższa jest socjoekonomiczna pozycja takiego mężczyzny. Z kolei kobieta czterdziestoletnia wiążąca się z dwudziestolatkiem — szczególnie pochodzącym z niższej warstwy społecznej — staje się pośmiewiskiem i bardzo często doszukuje się u niej symptomów nimfomanii.

Profesor Illouz odnosi się wielokrotnie w swojej książce do seksualności, którą rozważa przez pryzmat płci. Rozpowszechnioną skłonność mężczyzn do niezobowiązującego seksu traktuje jako współczesne status quo i w związku z tym nie poświęca jej wiele uwagi. Dużo bardziej interesują ją kobiety, które na taki niezobowiązujący seks się zgadzają. Illouz przywołuje przy tym dość niezwykłe przykłady.

Znane z telewizji w wielu krajach bohaterki kultowego amerykańskiego serialu *Seks w wielkim mieście* — atrakcyjne, niezależne i wyzwolone seksualnie kobiety — zdaniem Illouz dokładnie kopiują zachowania, na które już dawno przyzwolono mężczyznom. Przekazem tego serialu na pierwszy rzut oka jest zatem propagowanie społecznego zrozumienia dla politycznie poprawnego i jak najbardziej feministycznego przywiązania do równouprawnienia mężczyzn i kobiet. Jednakże przy bardziej pogłębionej analizie Illouz dochodzi do wniosku, że to nic innego niż znana z dzieł Karola Marksa teza o „niezbędnie fałszywej świadomości". Krystalicznie czysta ideologia. Bardzo odległa od rzeczywistości. Nietrudno bowiem wywnioskować z tego filmu, że zarówno romantyczna, ale niezbyt wierna Carrie, jak i cyniczna, wyuzdana Samantha tylko pozornie interesują się niezobowiązującym seksem. W gruncie rzeczy chodzi im o zbudowanie trwałego monogamicznego związku. Podobnie zresztą jak znakomitej większości kobiet na świecie. Seks z wieloma mężczyznami to jedynie konieczny objazd na drodze do głównego celu: emocjonalnej wyłączności, ofiarowanej temu jednemu mężczyźnie. Temu na całe życie.

Dlatego od dawna realizowana przez mężczyzn i od niedawna kopiowana przez kobiety (uwiedzione feministycznymi tezami o równouprawnieniu) idea wolności seksualnej — zdaniem profesor Illouz — feministki z krwi i kości — winna być zrewidowana. Spuszczony jak pies z łańcucha wirus wolnej miłości propagowanej na sztandarach rewolucji końca lat sześćdziesiątych dwudziestego wieku zbyt pochopnie i zbyt szybko zainfekował kobiety. Illouz zdecydowanie nie chce jednak powrotu kobiet do seksualnej abstynencji, gwarantującej dziewictwo

do nocy poślubnej. Ale nie podaje także konkret-
nego wzorca zachowań oprócz gromkiego nawo-
ływania do większej odpowiedzialności... ze strony
mężczyzn. Jak gdyby sama trwała w fałszywej nie-
świadomości. W tym przypadku zbędnej...

Histeria

Na początku dwudziestego wieku ogłoszono — i to nie tylko w poważnych naukowych, głównie medycznych, czasopismach, ale również w bulwarowych (jak na razie jedynie europejskich, bowiem barbarzyńsko-purytańska Ameryka ciągle nie była na to gotowa) — iż kobiety miewają orgazmy. I na dodatek chcą je mieć! I to nie rzadziej niż mężczyźni. Dla wielu ówczesnych męskich hedonistów był to kolejny, w tym wypadku szokujący, dowód na to, że kobiety mają większe niż się spodziewano skłonności do różnorodnych „wyrafinowanych" histerii. Pragnienie przeżywania orgazmu było jedną z nich. Skrzętnie ukrywaną, spychaną przez marzenia senne do podświadomości i zazwyczaj tłumioną. Chociaż jak się później okazało — nie zawsze.

Około 1880 roku wiele kobiet wywodzących się z arystokratycznych i bogatych mieszczańskich kręgów, szczególnie w Niemczech, Anglii, Francji i Austrii, regularnie i oczywiście w największej tajemnicy odwiedzało swoich lekarzy i z ich pomocą dawało upust swoim „histeriom". Polegało to na intensywnym masowaniu przez medyka całej *vulva* (sromu) ze szczególnym naciskiem na *clitoris*, łechtaczkę. Takie masturbacyjne seanse — ze względu na dyskrecję — nie zawsze odbywały się w gabinetach lekarskich. Bardzo często w hotelach Wiednia, Paryża, Londynu czy Berlina. Było w tych seansach wiele ze spirytystycznej magii. Leżąca na hotelowym łóżku „histeryczna" kobieta, naga, jedynie z czarną przepaską na oczach poddawała się dłoniom (niekiedy także wargom) „terapeuty". Gdy dochodziło w końcu do „upustu histerii" wyrażanego przez krzyk, drżenie ciała, szept, przyspieszony oddech, czemu towarzyszyły niekiedy różnorodne reakcje fizjologiczne, takie jak powiększenie piersi, stwardnienie sutków, wysypka na ciele, wydzielanie dużej ilości płynów ustrojowych, „terapeuta" znikał, już na zawsze anonimowy, z hotelowego pokoju lub gabinetu lekarskiego. Lekarze tamtych czasów w swoich licznych publikacjach pisali o „błogosławieństwie" takich terapii. Kobiety stawały się spokojniejsze, napięcie ustępowało i stan zdrowia, „szczególnie w obszarze psyche", wyraźnie się poprawiał.

Jednym z tych lekarzy był Anglik Joseph Mortimer Granville, który z powodu bardzo dużej liczby przeprowadzonych „terapii" zaczął odczuwać bolesne dolegliwości, nazywane w medycynie łokciem tenisisty (entezopatia nadkłykcia bocznego kości ramiennej). Aby ulżyć swojemu łokciowi i jednocześnie nie zaniedbać obowiązków wobec licznych „pacjentek", wpadł na genialny pomysł i wymyślił elektryczny wibrator.

Pod wieloma względami niezwykle zajmująca historia tego ważnego wynalazku stała się ostatnio (w 2011 roku) kanwą angielskiego filmu fabularnego pt. *Histeria*. Ten melodramat rozgrywający się w mrocznych czasach wiktoriańskiej pruderii dotyka między innymi tematu tabu: masturbacji. Także dzisiaj niewiele się zmieniło pod tym względem. Onanizm i towarzyszące mu fantazje seksualne to raczej ostatni temat, który chciałoby się poruszyć w rozmowie choćby ze swoim najlepszym przyjacielem lub przyjaciółką. Gdy jest się z samym sobą i samego siebie doprowadza do orgazmu, to wkracza się w świat zupełnie inny. Jesteśmy w nim sami. Tylko my i nasze myśli. Nikt nas nie obchodzi, ponieważ nikogo tam nie ma. Mogę wykrzyczeć sobie takie marzenia, których nigdy nie odważyłbym się wypowiedzieć najcichszym szeptem. I natychmiast je spełnić. Za pomocą swoich dłoni. Dlatego może austriacki pisarz i satyryk Karl Kraus cynicznie zauważył, że „seks nigdy nie jest tak piękny, jak się go sobie przy masturbacji wyobraża"[*]. Kraus oczywiście jest tutaj bardziej satyrykiem poszukującym chwytliwej puenty niż poetą. Nie był ani filozofem, ani psychologiem. Był tylko niezłym pisarzem. Sam zresztą, jak przystało na zawistnego Austriaka, przyznawał, że mało wie o „bredniach Freuda". Żadna fantazja erotyczna nie zastąpi magii uczucia całkowitego zespolenia. Celem masturbacji jest w gruncie rzeczy jedynie orgazm. Uczucia bliskości, którą osiąga się przy okazji, nie można ot tak sobie wyfantazjować. Do tego potrzeba drugiej osoby.

Nie oznacza to jednak, że masturbacja (przeklęta i wyklęta przez nieomal wszystkie doktryny religijne, błogosławiona jedynie w hinduistycznej tantrze) pozbawiona jest zalet. Seks z samym sobą pozwala dobić do brzegów, na których nigdy nie postawilibyśmy naszej stopy w rzeczywistości. W fantazjach bowiem wszystko jest możliwe i nie istnieją żadne przeszkody. On zawsze ma erekcję, ona zawsze ma orgazm, a na dodatek jemu nie zdarza się nigdy przedwcześnie ejakulować. Onanizm zawsze prowadzi do sukcesu. I to w stu procentach

[*] Karl Kraus, czasopismo „Die Fackel" (pol. „Pochodnia"), 1899 rok

przypadków. Ponadto, jak przekonują seksuolodzy i pokazują wyniki ankiet, kobiety, które często się masturbują, podczas aktu penetracji znacznie łatwiej osiągają orgazm w porównaniu z tymi, które z różnych powodów tego nie robią. Na dodatek (to także wynika z ankiet) te pierwsze potrafią wyraźniej i konkretniej sformułować swoje seksualne potrzeby i oczekiwania. A to jest dla mężczyzn jak bezcenny drogowskaz.

Dzisiaj, prawie sto pięćdziesiąt lat później, orgazm kobiety znowu wywołuje niepokój. I to ponownie u mężczyzn. Prawdziwi mężczyźni bowiem odkryli piękne uczucie uczestnictwa w kobiecym orgazmie i koniecznie chcą się do niego przyczyniać. Niektórzy z nich, gdy im się to nie udaje, wpadają w histerię...

Czy światu potrzebny jest orgazm kobiety?

Światu może nie, ale kobietom na pewno. I to coraz bardziej. Według renomowanego amerykańskiego Instytu Kinseya, od dziesięcioleci zajmującego się badaniem życia seksualnego, odsetek kobiet, które gotowe są rozstać lub rozwieść się ze swoim partnerem z powodu braku orgazmu, z roku na rok wzrasta. W 1991 roku wynosił około 2,2 procent ankietowanych, obecnie (dane z 2010 roku) sięga ponad 9 procent. Ze stu przepytanych kobiet dziewięć jest gotowych zakończyć związek ze swoim mężczyzną „tylko" dlatego, że nie potrafią osiągnąć z nim orgazmu. Babcie tych kobiet, a może także matki, gdyby się o tym dowiedziały, uznałyby to z pewnością za absurdalną histerię „rozpieszczonych sufrażystek". Sam Alfred Kinsey być może nie. Gdy przygotowywał swoje słynne raporty w 1948 roku dla mężczyzn i w 1953 dla kobiet, z pewnością był świadomy tych statystyk, ale danych dotyczących orgazmów u kobiet nie opublikował. Prawdopodobnie nie uważał ich za istotne.

Dzisiaj sądziłby inaczej. Kobiety po prostu chcą przeżywać orgazmy. Większość seksuologów od Uralu po Kalifornię to potwierdza. Kobiece orgazmy są obecnie *en vogue*. Opowiada się o nich w szczegółach na kanapach telewizji śniadaniowej, pisze na blogach, dyskutuje bez skrępowania na Facebooku, analizuje w kolorowych gazetkach.

Ale szczerze mówiąc, nie ma o czym tak naprawdę dyskutować. Bo cóż takiego nadzwyczajnego wydarza się przy kobiecym orgazmie? Przyspiesza puls, wzrasta ciśnienie krwi, oddech staje się płytszy, ale za to częstszy. Łechtaczka się powiększa do maksymalnych rozmiarów (u niektórych kobiet do 2 centymetrów długości), wargi sromowe puchną, wzrasta znacząco ilość wydzieliny w waginie— u niektórych kobiet porównywalna z objętością ejakulatu mężczyzny. Gdy dochodzi do kulminacji, następuje kilkukrotna kontrakcja waginy, kontrakcja macicy oraz pośladków. Trwa to przeciętnie około dwunastu sekund i potem wszystko w organizmie kobiety bardzo szybko wraca do normy. U nielicznych kobiet (około 3,2 procent ankietowanych) te reakcje powtarzają się (maksymalnie trzykrotnie) w pewnym odstępie czasu (nie dłuższym niż pięć minut) i seksuolodzy nazywają to orgazmem wielokrotnym.

U mężczyzn czas trwania orgazmu jest krótszy niż dwanaście sekund (nie ma danych o orgazmie wielokrotnym), ale podobnie intensywny. Zarówno kobiety, jak i mężczyźni deklarują, że odczuwają przy tym „rozkosz". To jednoznacznie odróżnia homo sapiens od innych naczelnych. Jak na razie panuje potwierdzone badaniami zoologów przekonanie, iż większość zwierząt (z wyjątkiem małp bonobo, makaków oraz szympansów) nie odczuwa podczas parzenia orgazmu. Zwierzęta uprawiają seks w najbardziej słusznej sprawie, szczegółowo opisanej przez Darwina: w celu przedłużenia gatunku. Ludzie nie. Większość aktów seksualnych pomiędzy kobietą a mężczyzną — tym bardziej odkąd ponad pięćdziesiąt lat temu zsyntetyzowano pigułkę antykoncepcyjną — służy wyłącznie dostarczeniu przyjemności. Kościół ma z tym problem — od wielu wieków przyjemność jako cel zbliżenia stanowi problem dla Kościoła katolickiego — i kobiety mają z tym problem. Kobiety o wiele większy niż Kościół, i dla świata nieporównywalnie ważniejszy. Według różnych badań prowadzonych w ostatnim dziesięcioleciu tylko 8–26 procent kobiet podczas seksu regularnie odczuwa orgazm. Około 16 procent nigdy go nie zaznało. Nieregularnie podczas zbliżeń z mężczyzną orgazm osiąga tylko około 34 procent kobiet. Przy masturbacji orgazm, głównie łechtaczkowy, osiąga 58–63 procent kobiet (według różnych źródeł). Kobiety nie chcą dochodzić do niego tą drogą. W odróżnieniu od mężczyzn, którzy chcą mieć po prostu wiele orgazmów, kobiety chcą je mieć z ukochanym mężczyzną. To także wynika z badań naukowców Instytutu Kinseya. Przy czym miłość w ich ankietach nazywa się chłodno zaangażowaniem emocjonalnym.

Biologów ewolucyjnych, neurobiologów i antropologów trochę dziwi ta nagła pogoń za orgazmem. Kobiecy orgazm jest ich zdaniem mało potrzebny światu. A dla przedłużenia gatunku zupełnie zbędny. Kobiety z orgazmem i bez orgazmu zachodzą — w przybliżeniu — tak samo często w ciążę. To zadziwiające, ponieważ genetycznie kobiety są przygotowane do orgazmu tak samo jak mężczyźni. Wiadomo to dopiero od 2005 roku (sic!). Kobiety posiadają (lub nie) gen(y) orgazmu — naukowcy nie są co do tego zgodni. W trakcie badań na reprezentatywnej grupie ponad czterech tysięcy kobiet obejmującej bliźniaczki jedno- i dwujajowe odkryto, iż zdolność do przeżywania orgazmu jest dziedziczna. W zdecydowanej większości przypadków para bliźniaczek jednojajowych zgodnie albo odczuwała, albo nie odczuwała orgazmu podczas zbliżeń. Nie wiadomo wprawdzie, jakie konkretnie geny są za to odpowiedzialne, ale wiadomo, że takie istnieją. Zdolność do orgazmu u kobiet jest więc wbudowana w DNA.

To, że nikt nie zbadał pod tym kątem DNA mężczyzn, wydaje się wszystkim oczywiste. Tymczasem coraz więcej mężczyzn ma kłopoty ze swoim orgazmem. Nadchodzi przedwcześnie, bo tracą kontrolę nad swoim pożądaniem. Nie może do niego dojść z powodu dysfunkcji erekcji, bo są przepracowani i zestresowani. Nie są do niego zdolni także z powodu epizodów priapizmu po nafaszerowaniu się viagrą czy cialisem, bo koniecznie chcą stanąć na wysokości zadania. Wszystko to bardzo mężczyzn martwi, ponieważ pragną oni orgazmów. Także u swoich kobiet...

O układaniu kwiatów

Ojciec Patryka jest bardzo bogatym przedsiębiorcą. Jego fabryki w Europie, Ameryce, Azji, a ostatnio także w Australii produkują maszyny rolnicze. Niemieckie maszyny rolnicze — to jest slogan firmy jego ojca. Ta „niemieckość" spolegliwa, odpowiedzialna i na wieki. Chociaż części do tych maszyn pochodzą głównie z Tajwanu, Chin, Tajlandii oraz Indii, a tylko nieliczne z Niemiec. Ale o tym wiedzą głównie w dziale sprzedaży i raczej się tym nie chwalą. Gdyby kombajny klasyfikować według marek, tak jak na przykład samochody, to kombajny jego ojca dostałyby bez wątpienia logo Porsche. Można je zamówić w ośmiu kolorach, z klimatyzacją, z wyciszeniem kabiny, z radiem i odtwarzaczem mp3, z możliwością podłączenia telefonu przez Bluetooth. Żniwa za pomocą kombajnów firmy jego ojca mają być ekskluzywne, ponieważ każdy dzień życia człowieka powinien być ekskluzywny. I rzeczy, które wykorzystuje, którymi się otacza, które nabywa, powinny mu to zapewniać. Kierownica w kombajnie powinna być delikatna w dotyku, siedzenie przypominać miękkością ulubiony fotel w salonie, a podłoga pokryta „najelastyczniejszym drewnem". W ofercie firmy jego ojca są cztery rodzaje drewna na podłogę kabiny kombajnu. Łącznie z mahoniem. W ośmiu odcieniach. Ojciec uważa, że ludzie uwielbiają posiadać rzeczy. Im więcej ich mają, tym bardziej są spełnieni. Szczególnie gdy inni tych rzeczy nie posiadają, ponieważ ich na to nie stać. Kombajn to także tylko rzecz. Ale kombajn z USB i mahoniem to rzecz szczególna. Ekskluzywna. Nie dla wszystkich.

Patryk nie jest pewny, czy jego ojciec był kiedyś na polu podczas żniw. I czy kiedykolwiek się zachwycił zapachem świeżego siana. Pewnie nie, bo wieś „ze swoim smrodem jest uciążliwa i momentami nie do zniesienia", jak mu często powtarzał. W łazienkach ich wielu domów w Niemczech, Szwajcarii, na Sycylii, Malcie, Sardynii i na Florydzie są szampony i odżywki do włosów w kryształowych butelkach z grawerowanym na platynowych medalikach herbem rodzinnym. Płyny żółtawe jak kłosy, pachnące sianem. Ale nie ma w nich ani śladu kłosów. To przecież tylko estry, chemia zamknięta w butelce. Kiedyś w łazience w ich domu w Key West na Florydzie na alabastrowej półce w kolorze bursztynu stało ponad dwadzieścia kryształowych butelek. Nie chciało mu się czytać, która co zawiera. Pamięta, że umył włosy płynem do higieny intymnej. Także ten płyn pachniał zbożem. I włosy mu nie wypadły.

Patryk jest jedynakiem. To taki plan jego ojca. Aby nie było kłótni o spadek. Matka Patryka urodziła go i pospiesznie znikła. Poza tym była ponoć zdrowa, biała, piękna, niereligijna i inteligentna. Sumienni pracownicy ojca znaleźli taką kobietę w Zurychu. Doktorantkę specjalizującą się w historii sztuki. Wyzwoloną, młodą, zdrową, dyskretną i z rozsądnymi wyobrażeniami o kosztach. Czasami ojciec zaprasza ją na swój jacht w dniu swoich urodzin. Ale ona nigdy nie przyjmuje zaproszeń. Jeśli chodzi o kobiety, które ojciec do niego dopuszczał, to wychowała go Natasza z Kijowa. Także biała, także niereligijna i także dyskretna. Dlatego zna na pamięć kilka modlitw i kilka wierszy po ukraińsku. Bo Natasza w sprawie religii oszukała jego ojca. On także go oszukuje. Dba o jego kombajny, więc jest absolutnie uczciwy. Aby robić to z wprawą, skończył najlepsze szkoły ekonomiczne w Niemczech. Doktoryzował się na Sorbonie, rok praktykował na

Wall Street w Nowym Jorku. Ojciec płacił tym, którzy mieli Patrykowi płacić za to, żeby miał wrażenie, iż jest potrzebny. Ojciec jest gotowy zapłacić za każde wrażenie, które sobie zaplanował. Ale on kombajnów tak naprawdę nie lubi. W żadnym kolorze. I w żadnym kontekście. Ojciec uczynił go zawczasu swoim zastępcą, wymyślając mu pięknie brzmiący tytuł, drukowany srebrną farbą na wizytówce z czerpanego papieru. Zakupił mu dwa mieszkania we Frankfurcie (dwie ulice od siebie) i apartament w Nowym Jorku. Patryk był tam tylko raz, żeby podpisać umowę wynajmu. Bo on tak naprawdę nie chciałby sprzedawać kombajnów w ośmiu kolorach. On chciałby układać bukiety w jakiejś kwiaciarni. Wstawać o piątej rano, jechać po kwiaty, być drugim, który je wącha, mieć rany od kolców róż na dłoniach i potem układać je w bukiety. I on to robi. Wstaje rano, ubiera się w dres i jedzie swoim porsche pod kwiaciarnię znajomej z Węgier. Parkuje dwie ulice dalej i potem, z kolcami w dłoniach, do południa układa bukiety. Następnie przebiera się w łazience w garnitur, wydrapuje brud zza paznokci, zawiązuje krawat i jedzie do wysokiego przeszklonego domu we Frankfurcie sprzedawać luksusowe kombajny. Przy wejściu wszyscy mu się kłaniają. W biurze każdy udaje, że go lubi. I poza tym nie ma tam żadnych innych prawdziwych emocji — ani kwiatów. Wieczorem wraca do swojego domu. Nie tych od ojca. Do swojego. Normalnego. Z czynszem i rachunkiem za prąd i wodę. Bez kamer i recepcji na parterze. Pustego z braku rzeczy. On nie nienawidzi rzeczy. On chce być...

Sponsoring w psychiatryku

Damian ma fotograficzną pamięć. W wieku piętnastu lat potrafił bez trudu rozwiązywać równania, które znosił mu leniwy syn sąsiadki, student czwartego roku matematyki, a gdy miał siedemnaście lat, jego rosyjski był na tyle dobry, że mógł czytać książki w tym języku. Natomiast nie potrafił opowiedzieć, o czym czytał. To znaczy nikomu poza matką, która jako jedyna rozumie jego rozmyty, monosylabowy bełkot. Poza tym Damian nie umie dostrzec ani ocenić stanów emocjonalnych innych osób, w związku z tym często jest agresywny. Rozmowy z nim muszą być proste, ponieważ w przeciwnym razie nie nadąża za rozmówcą i po prostu ucieka.

Damian jest autystą. Od wczesnego dzieciństwa znajduje się pod stałą opieką logopedów, psychologów oraz fizjoterapeutów opłacanych przez matkę. Od kilkunastu miesięcy — Damian ma dzisiaj trzydzieści trzy lata — matka opłaca także usługi tak zwanej asystentki seksualnej.

— Nigdy nie zapomnę — mówi — jak pewnego dnia, Damian miał wówczas siedemnaście lat, przechodziliśmy w parku obok całującej się pary. Syn zaczął nagle histerycznie mamrotać, wskazując na wypchnięte jego zesztywniałym penisem spodnie. To wtedy odkryłam, że Damian ma także takie potrzeby. Gdy do jego siostry przychodziły koleżanki, potrafił siadać im na kolanach. Strofowany, uciekał do swojego pokoju i próbował się bezskutecznie masturbować. Karmiłam go, obcinałam mu włosy, uczyłam, jak używać papieru toaletowego, ale w tym pomóc mu nie potrafiłam. Bo widzi pan — mówi cicho, spoglądając na swoje dłonie — to jest mój syn. Nie mogłabym go tak poniżyć...

I wtedy Margot, opiekująca się Damianem psycholog i zakonnica, zasugerowała tę „seksualną asystentkę". Margot, na stałe zatrudniona w domu opieki społecznej osób psychicznie chorych — prowadzonym przez Kościół ewangelicki — przekonała ją, że to akceptowana tam „forma pomocy". Udawanie, że chorych psychicznie wystarczy nakarmić, napoić, wykąpać i otumanić psychofarmaceutykami to obłudne pielęgnowanie pewnego wygodnego tabu. Także chorzy psychicznie mają libido. Osoby z demencją pożądają, ludzie autystyczni zaś mają normalne erekcje. Poza tym miłość i seksualność są dane przez Boga.

To o Bogu nie przekonało matki Damiana, ale to o „normalnych erekcjach" tak. Zadzwoniła do Poczdamu pod numer z wizytówki wręczonej jej przez Margot. Od wielu lat w Poczdamie mieszka Nina de Vries, Holenderka, która jako pierwsza, już w 2001 roku, nie bacząc na ostracyzm i niekiedy jawną wrogość, rozpoczęła pracę — bo nazywa to pracą i z tego się utrzymuje — z osobami niepełnosprawnymi psychicznie. Dla niektórych pięćdziesięciojednoletnia de Vries to „stara kurwa z psychiatryków", dla innych „niewyżyta seksualnie zdzira wykorzystująca świrusów", a jeszcze dla innych zwykła prostytutka. Sama de Vries nie odrzuca terminu prostytutka (w Niemczech prostytucja jest legalna), chociaż podczas szkoleń i wykładów, które prowadzi dla innych kobiet, konsekwentnie stosuje nazwę „seksualna asystentka" i opisuje to, co robi dla swoich klientów. A robi dokładnie to, czego dla swojego syna Damiana oczekiwała jego matka. W czasie „sesji" de Vries naga masuje, przytula, obejmuje, dotyka, a niekiedy — w punkcie kulminacyjnym — masturbuje swoich klientów, doprowadzając ich do orgazmu. Nigdy nie dochodzi jednakże do seksu waginalnego ani oralnego. Typowi klienci de Vries to chorzy z zespołem Downa, autyści lub osoby z powypadkowymi uszkodzeniami mózgu. Według de Vries kontrowersje uzasadniane twierdzeniami, że jej klienci to osoby z poziomem inteligencji dziecka i w związku z tym nie powinny być konfrontowane z „aktami seksualnymi", ponieważ takich potrzeb nie posiadają, są nie do przyjęcia. Według niej „ci mężczyźni wyraźnie przejawiają potrzebę realizacji swojej seksualności i pozbawianie ich tego podstawowego prawa może prowadzić do agresji lub autoagresji, z samookaleczaniem i próbami samobójczymi włącznie".

Matka Damiana, jako praktykujący pedagog społeczny, doskonale rozumie te kontrowersje, jednakże zgodę de Vries na spotkania z jej synem przyjęła z ulgą i wdzięcznością. Wkrótce Damian dowiedział się od matki, że oprócz Margot „spotka się teraz z pewną nową terapeutką i to będzie dobre dla jego ciała i duszy". I tak faktycznie się stało. Już po pierwszej wizycie de Vries matka zauważyła niezwykłe zmiany u swojego syna. Uśmiechał się, przesypiał całe noce, podniósł głowę i wyprostował plecy, wrócił do czytania Czechowa, grania na fortepianie i rozwiązywania swoich równań całkowych. I psychofarmaceutyków także łykał mniej. A któregoś wieczoru przyszedł do niej do kuchni i powiedział: „Mama, jest bardzo pięknie, gdy ona przychodzi, gdy przychodzi moja Nina, ja bardzo chcę Niny". I tego wieczoru zaczęła się panicznie bać.

— Bo widzi pan — mówi — to jak dawać mu mały kawałek czekolady, a potem chować ją na długi czas do kredensu. Bo Nina przecież nie jest jego. I nigdy nie będzie. Nina jest dla niego za 130 euro za godzinę...

Od jutra nie piję...

Ankę przywiozła do ośrodka siostra. W niedzielę wieczorem stanęły przed bramą do zasypanego śniegiem zadrzewionego ogrodu otaczającego dwupiętrowy budynek o skośnych dachach. Zadzwoniła, że przyjadą. W ośrodku nikt nie pyta, dlaczego akurat w niedzielę, nikt także nie upewnia się, o której i czy na pewno. W ośrodku wiedzą bowiem, że gdy ktoś jest w drodze do nich, to znaczy że każde takie pytanie jest drażliwe. Zresztą prawie nigdy nie dzwonią do nich „pacjenci". W większości ich matki, ojcowie, bracia, siostry, mężowie lub żony. Czasami zdarza się także, że córki lub synowie.

Przyszli pacjenci wstydzą się zadzwonić. Głównie dlatego, że do końca nie są przekonani o własnej chorobie. Po prostu częściej niż inni piją. Ale przecież wszyscy piją. Oni może tylko trochę więcej. To nie żadna choroba. Gdyby chcieli, mogą przestać pić.

I chociaż bardzo chcą, odkładają to na jutro. Jutro będą bardziej chcieć. A pojutrze to już absolutnie bardzo. Dzisiaj jednak jeszcze nie.

O tym, że są alkoholikami, nieustannie dowiadują się od swoich bliskich. Na początku podczas spokojnych rozmów, potem głośnych kłótni, a na końcu rozpaczliwych awantur. Pani Zofia, najstarsza pielęgniarka z ośrodka, która, jak sama twierdzi, jest alkoholiczką, uważa, że najważniejszym momentem terapii jest chwila, gdy ktoś zrozumie, iż jest alkoholikiem. Niektórzy potrzebują na to kilku dni, inni kilku tygodni, ale zna także przypadki, że zajmuje to kilka lat. Pani Zofia uważa, że alkoholikiem się jest do końca życia, więc gramatyczne przejście na czas przeszły — z „piję" na „piłem" — także w jej przypadku (nie pije od 24 lat, 8 miesięcy i 14 dni) jest tylko gramatyczne. Bo łatwo przestać pić. Wystarczy nie pić przez dwadzieścia cztery godziny na dobę. A potem tak każdego dnia. Łatwo powiedzieć, uważa Zofia. Ale wygrać walkę z wewnętrznymi demonami wcale nie jest łatwo.

Ankę przywiozła do ośrodka Magda. Jej młodsza siostra. O wiele młodsza. Gdy Magda się rodziła, w maju, Anka pisała akurat maturę. Mają różnych ojców i być może dlatego nie są do siebie podobne. Ale paradoksalnie to nie ojciec Anki był alkoholikiem, a ich wspólna matka nienawidziła alkoholu. Głównie z powodu bardzo złych wspomnień z dzieciństwa. Jeśli więc jej alkoholizm jest obciążeniem genetycznym, to pochodzi z drugiego pokolenia. I to ze strony dziadka. Anka ubóstwiała swoją siostrzyczkę. Zmieniała jej pieluchy, pomagała pisać wypracowania i przeżywała z nią pierwsze miłości. Gdy Magda pisała maturę, Anka pisała doktorat.

To wtedy zaczęła pić. Bo promotor cztery razy zmieniał temat jej doktoratu, bo młodość przemijała, a ona poznawała tylko żonatych mężczyzn, którzy i tak w końcu wracali do swoich żon, bo dopadała ją depresja, a po butelce wina mijała. Gdy były pijana, przestawała się bać. Przyszłość na rauszu nie przerażała. Podobnie jak zmarszczki na twarzy i siwizna niefarbowanych włosów. Najpierw piła wieczorami, po powrocie do domu z uczelni, potem chowała butelki w swoim biurku i piła „po obiedzie", na końcu do bułek, kefiru i twarogu na śniadanie dokupowała butelkę wina, aby przetrwać do lunchu. Czasem wieczorami z nocnego sklepiku przynosiła trzecią. Potem z wina przeszła na koniaki. Wino działało zbyt wolno. Koniaki były bardziej skuteczne. Poza tym zmieszane z colą wyglądały na biurku, przy monitorze komputera, zupełnie niewinnie. To było bezpieczniejsze. Nie pamięta, kiedy zaczęła pić zaraz po umyciu zębów w łazience. W każdym razie dopiero po porannym drinku mogła opanować drżenie rąk.

Od pewnego momentu Magdy nie przekonywały wymówki o „kolejnych urodzinach w instytucie". Musiałaby uwierzyć, że każdego dnia ktoś obchodzi urodziny. Także w dni wolne od pracy. Odwiedzała siostrę prawie każdego wieczoru. Gdy zdążyła, zanim Anka była zupełnie pijana, to rozmawiały. Tłumaczyła, prosiła, krzyczała, błagała. Ostatniej soboty także przyszła. Siostra leżała nieprzytomna na podłodze w kuchni. W drodze do lodówki po wódkę upadła i uderzyła głową o krawędź piekarnika. Magda ubrała ją i zadzwoniła po męża. Położyli ją na tylnym siedzeniu samochodu. Anka ocknęła się z zamroczenia w połowie drogi do ośrodka.

Przez tydzień była na detoksie. Kroplówki z glukozy i soli mineralnych. Do tego leki uspokajające, przeciwdrgawkowe i przeciwpadaczkowe. Poza tym uzupełnianie witamin, głównie z grupy B, oraz magnez i potas w dużych dawkach. W międzyczasie rozmowy z psychologami i przysłuchiwanie się historiom innych w czasie terapii grupowych. Wojtek, który zapijał pamięć o znęcającym się nad nim ojcu, zakonnica Joanna, która straciła powołanie, ale także odwagę, aby żyć poza klasztorem, Patryk, który wolał pić, aby nie brać narkotyków, a na końcu narkotyki popijał wódką.

Pierwszy dzień bez picia. Potem kolejny. Mozolna walka, aby się nie poddać i nie wyjść za bramę, żeby pobiec do pierwszego sklepu. Odkrywanie na nowo zapomnianego świata na trzeźwo. Z lękami, które trzeba na trzeźwo przetrwać.

Ale pani Zofia ma rację. Łatwo jest przestać pić. Wystarczy nie pić przez dwadzieścia cztery godziny na dobę. Sztuką jest znowu nie zacząć.

PS Maciejowi, z nadzieją...

Pożegnania z Afryką

Na płaskiej równinie rozległej doliny, kilkanaście kilometrów od wjazdu do Parku Narodowego Ngorongoro w Tanzanii, znajduje się niewielka masajska wioska. Około trzech milionów lat temu w okolicy tej wioski wybuchł gigantyczny wulkan, tworząc równie gigantyczny, niepowtarzalny krater. W ciągu tych trzech milionów lat pojawiły się tam najpierw rośliny, a potem zwierzęta. Oprócz dwudziestu pięciu tysięcy innych gatunków także zebry, gazele, antylopy, nosorożce, lwy, leopardy, hieny, sępy i bawoły. To właśnie z powodu tych zwierząt, aby je zobaczyć na własne oczy — nie w zakratowanym zoo, ale na wolności — do Ngorongoro przybywają z całego świata ze swoimi lornetkami i aparatami fotograficznymi *mzungu*, czyli w języku suahili „biali ludzie". Niektórzy *mzungu* oprócz lwów, hien i sępów chcą zobaczyć także Masajów.

Dlatego po drodze do Ngorongoro zatrzymują się zazwyczaj na pół godziny w wiosce i fotografują jak szaleni. Ponieważ dobrze za to płacą, trzeba zrobić dla nich prawdziwy show. Niekiedy pieniądze, które zostawi jeden hojny *mzungu*, starczą na lekarstwa na miesiąc dla całej wioski. A czasami zostanie nawet na kredę i zeszyty do szkoły. Dlatego dorosłe kobiety ustawione w chórek odśpiewują pieśń powitalną, a owinięci kolorowymi kocami mężczyźni, z laskami symbolizującymi dzidy, podskakują w swoim masajskim tańcu *adumu*. W tym czasie dzieci biegają wokół i śmieją się z *mzungu* bez włosów lub z brzuchami tak wielkimi, jak u niektórych krów, zanim urodzą cielaki. Ani kobiety nie śpiewają, ani tym bardziej mężczyźni nie podskakują z własnej woli. Robią to jedynie ze względu na swoją biedę. Bez płacących dolarami *mzungu* nie byłoby szkoły ani szpitala, który powstawał przez pięć lat. Dlatego też wszyscy w wiosce są wdzięczni wulkanowi za jego wybuch sprzed trzech milionów lat i za krater. I za każdego leoparda i nosorożca w Ngorongoro.

Niektórzy z białych rozglądają się po wiosce. A najbardziej ciekawi chcą nawet wejść do *manyatty*. Do masajskiego domu. Takiego z tyczek wbitych w ziemię, przeplecionych gałązkami i uszczelnionych krowim łajnem z mieszaniną moczu z popiołem. W kulturze Masajów domy budują kobiety, a nie mężczyźni, zwani na wyrost wojownikami. To przyrodnia matka, pierwsza żona jej ojca, wraz z czterema siostrami zbudowała jej pierwszy dom z krowiego gówna. Ta sama, która dała przyzwolenie ojcu na drugą prawowitą żonę. I trzecią. Jej biologiczną matkę. Masajowie są bowiem poligamistami. Głównie dlatego, że śmiertelność noworodków i wojowników jest bardzo duża. Poza tym Masajowie praktykują poliandrię. To forma małżeństwa, w której jedna kobieta ma jednocześnie wielu mężów. W poliandrii od pierwszego męża oczekuje się na przykład ustąpienia miejsca w łóżku, gdy kobieta gości mężczyznę z grupy poliandrycznej. Chociaż, co jest przedziwne, to kobieta sama decyduje, czy spędzi z nim noc. Niezależnie od tego dziecko urodzone przez kobietę jest zawsze uważane za dziecko pierwszego męża.

Ona urodziła się w zwykłej poligamicznej, ale niepoliandrycznej rodzinie. Jej ojciec nazwał ją Nayoma. Miała normalne i do pewnego momentu raczej szczęśliwe dzieciństwo. Czas spędzała głównie na zabawach. Wtedy jeszcze nie było szkoły. Niekiedy tylko pomagała przy gotowaniu i dojeniu krów. Miała sześciu braci i pięć sióstr. Z tego samego ojca, ale z trzech różnych matek. Ostatnim wspomnieniem z wioski, które do dzisiaj najwyraźniej pamięta, jest ceremonia obrzezania jej najstarszego brata. Pamięta jego wytrzeszczone, poprzecinane żyłkami gałki oczne. Bez żadnego znieczulenia. Milczał, tak jak należało, bo okrzyk bólu przynosi wojownikowi hańbę. Potem pewnego roku pora deszczowa nie chciała się skończyć i przyszła wielka woda, która zatopiła ich wioskę. Z powodu braku lekarstw na kaszel umarły dwie jej matki. A potem ojciec utracił wszystkie swoje krowy i któregoś wieczoru po prostu nie wrócił już do *manyatty*. Gdy wielka woda w końcu opadła, a ona już także bardzo kaszlała, pewnego dnia do wioski przyjechał *mzungu*. Nie miał aparatu ani nawet zegarka. Był stary, kulawy, nosił okulary i miał bliznę na czole. Nie wie dokładnie, jak to się stało, ale tego dnia pierwszy raz w życiu jechała samochodem, a potem leciała samolotem. Siedziała na kolanach kulawego *mzungu*, było jej ciepło, oglądała ziemię w dole i wydawało się jej, że śni.

Gdy wylądowali w miejscu pełnym nieznanych, okropnych zapachów i dźwięków, zabrali ją do wysokiego jak góra domu pełnego łóżek i ludzi w białych ubraniach. Po kilku tygodniach przestała kaszleć. I wtedy polecieli o wiele większym samolotem do domu tego *mzungu*. Tam poznała swoją nową niewidomą siostrę Alyonę z Ukrainy, brata Ferdinando bez rąk z Filipin i trzecią przyrodnią matkę,

Carmen z Meksyku. Wokół jej domu na Florydzie rósł ogromny gaj pomarańczowy. Czasami myślała, że większy niż krater w Ngorongoro. Cały gaj należy do jej ojczyma. Ona lubi latać. I spoglądać na ziemię poniżej. Najpierw opanowała język angielski, potem zrobiła dyplom na uniwersytecie w Miami, a potem nauczyła się latać. Jej *mzungu* ojciec był z niej taki dumny. Wróciła do siebie, do Tanzanii. Bo ona nie lubi ani pomarańczy, ani pieniędzy. I on to zrozumiał. Poza tym sam wiedział, że nie da się pożegnać Afryki.

Czasami lata z Arusha na Zanzibar. W samolocie przeważnie siedzą przestraszeni *mzungu*. Bo jak to? Czarna kobieta pilotem? Po kilku minutach zawsze się uspokajają. Gdy przelatują nad Ngorongoro, to w pobliżu jej wioski zdejmuje słuchawki z uszu, zagryza wargi i obniża na kilka minut lot. A *mzungu* myślą, że to dla nich, aby mogli zrobić lepsze zdjęcia...

Trzy i pół siostry

Niedawno, niedawno temu w niemałym polskim miasteczku urodziły się trzy zdrowe i piękne dziewczynki: Pierworodna, Pogodzona i Pyskata. Pierwsza była dumą ojca i niezwykle do niego podobna, wręcz wykapana. Drugą ojciec przyjął ze spokojem, pomimo że oczekiwał syna, a trzecią, najmłodszą, hołubił i hołubi do dzisiaj, pomimo że swoim pyskowaniem często mu dokucza. Ojciec był i pozostał apodyktycznym autokratą. Najpierw w odległych czasach wierzył w resort bezpieczeństwa króla i mu służył, ale ostatnio się opamiętał i wierzy tylko w Boga, któremu jednak nie służy, ponieważ jest na przedwczesnej — należnej pracownikom znienawidzonego resortu, w którym pracował — emeryturze, więc nie musi.

Córki mu się udały. Tak przynajmniej sądził, dopóki nie dorosły i nie wyfrunęły z gniazda. Wyfrunęły, ku jego przedwczesnej radości, do większych miast, gdzie także szkoły były bardziej poważane.

Najstarsza wyjechała na zachód od miasteczka. Zdobyła tytuł magistra i w międzyczasie poznała pewnego młodzieńca. Zaradnego i świadomego sytuacji w królestwie. Zakochał się w niej na zabój i wywiózł ją na wschód, do Warszawy. I dopiero tam poczuła swoje miejsce. Najważniejsze i lepsze od innych. Nauczać w Warszawie to przęcież zaszczyt, prawda, tatusiu? Na ulicy Ważne Przedmieście, w klasie dzieci z matek i ojców znanych z seriali telewizyjnych. Tutaj polonistyka nabiera dopiero prawdziwego znaczenia. Nie jakieś tam prowincje. W szkole na ulicy Ważne Przedmieście w Warszawie Mickiewiczowskie *Dziady* brzmią przecież inaczej, bo to „przecież tam '68, Dejmek i te sprawy". Wraca więc Pierworodna czasami na Wigilię lub inne uroczyste dni do niemałego polskiego miasteczka i opowiada siostrom, jakie to niezwykłe być nauczycielką w szkole z kodem pocztowym Ważnego Przedmieścia. Ojciec też to słyszy. I jest dumny jak paw w okresie godowym. Bo to jego pierworodna. Nie dość, że mądra, to z Warszawy i zrobiła karierę. I na dodatek odpowiedzialna, bo się nie rozwodzi.

Nie to, co na przykład najmłodsza córka, Pyskata. Jest o wiele mądrzejsza od tej z Ważnego Przedmieścia, ale zupełnie nie stara się, aby przysparzać dumy ojcu. Wręcz przeciwnie. Nie dość, że pozostała na prowincji, to na dodatek chce się rozwieść. Bajdurzy coś o ograniczaniu jej wolności. Zupełnie nie docenia mężczyzny, który ją poślubił. I choć to chory z zazdrości oszołom, to wciąż poślubiony w kościele mąż. Pyskata jest bardzo ułożoną feministką. I przy tym, paradoksalnie, za bardzo podporządkowaną. Chociaż nie tak jak jej zaszczuta przez ojca mamusia. Wyzwala się powoli.

Pierworodna zdominowała wszystkich w rodzinie. Przeczytała najwięcej książek. I na dodatek tylko tych właściwych. Po te, które przeczytała Pyskata, sięgać nie warto. Szkoda cennego czasu. No nie, tatuś, powiedz, że prawda? I wówczas tatuś, który nie czyta wcale, przytakuje z całym swoim wyuczonym w resorcie przekonaniem. Dla zasady. Chociaż nie rozpoznaje nawet tytułów. Ale gdy Pierworodna mówi, to musi być prawda. Święta prawda. Bo Pierworodna jest autorytatywna. Podobnie jak tatuś albo nawet bardziej. Bo ona już nie jest z prowincji.

Siostry z niemałego polskiego miasteczka słuchają wiadomości z Warszawy z ogromną uwagą. Obie także uczą w szkołach, więc z uwagą jak najbardziej zawodową. Bo może w szkole przy najbardziej znanej ulicy w Warszawie uczą ważniejszych rzeczy? Albo tych samych, tylko nowocześniej, po europejsku? Z największą uwagą słucha Pyskata. Bo może jednak dowie się czegoś nowego. Ale od kilku lat niczego się nie dowiaduje. Była osobiście na wszystkich spektaklach, które wspomina Pierworodna (i na wielu innych, o których Pierworodna nawet nie słyszała), i na dodatek ma swoje zdanie na ich temat. W Pierworodnej budzi to nerwowy niepokój. Gdy w kuchni, daleko od ojca, rozmawiają o tym przy zmywaniu naczyń, to Pierworodna przestaje być grzeczna i ułożona. Wówczas dopiero zaczyna być nauczycielką, ale niestety nie taką jak *Madame* ze znanej powieści. I dlatego Pyskata nie chce się uczyć. Bo ona ten materiał przerobiła już dawno temu. Ale Pierworodna wie przecież wszystko o wszystkim najlepiej. Wypisz wymaluj tatuś. Nawet o ruchu drogowym wie wszystko, chociaż nie ma prawa jazdy. Na całkach się zna i nawet na procentach, i na „okropieństwach seksu oralnego" także. Z wszystkich trzech sióstr ona nie jest ani tą z *Trzech sióstr* Czechowa, ani tą z *Czterech sióstr* Głowackiego. Ona jest z innego, jeszcze niedocenionego „okresu literackiego", i na dodatek o połowę lepsza niż dwie pozostałe.

Tatuś spłodził trzy i pół dziewczynki. Z czego półtora pensum jego uwagi i zachwytu przypadło i ciągle przypada na pierwszą. I ona, przez lata przekonywana o swojej niezwykłości, głęboko uwierzyła w tę arytmetykę. Średniej siostrze, Pogodzonej — tej, która miała być chłopcem — rzekomo zupełnie to nie przeszkadza. Ona zawsze była w chłodnym cieniu rzucanym przez Pierworodną. Poza tym przyzwyczaiła się do przedstawień odgrywanych przy rodzinnym stole. „To tylko nieszkodliwa egomania i tylko kilka razy w roku, można wytrzymać", jak sama mówi. Ale Pyskata czuje, że to nie jest zupełnie szczere. Bo nie może takie być. Sama ma dwóch synów. Dwóch, a nie dwóch i pół...

Spis treści

Wydanie pierwsze

Opieka redakcyjna
Dorota Wierzbicka

Redakcja
Weronika Kosińska

Korekta
Ewa Kochanowicz, Anna Rudnicka, Aneta Tkaczyk

Projekt okładki i stron tytułowych
Urszula Gireń

Redakcja techniczna
Bożena Korbut

Książkę wydrukowano na papierze Creamy 80 g vol. 2,0
dostarczonym przez ZING Sp. z o.o.

Printed in Poland
Wydawnictwo Literackie Sp. z o.o., 2012
ul. Długa 1, 31-147 Kraków
bezpłatna linia telefoniczna: 800 42 10 40
księgarnia internetowa: www.wydawnictwoliterackie.pl
e-mail: ksiegarnia@wydawnictwoliterackie.pl
fax: (+48-12) 430 00 96
tel.: (+48-12) 619 27 70
Skład i łamanie: Infomarket
Druk i oprawa: Drukarnia Kolejowa Kraków Sp. z o.o.

ISBN 978-83-08-04999-0